Tb 646
35

# DE LA

# DIFFÉRENCE FONCTIONNELLE

## DES

## DEUX HÉMISPHÈRES CÉRÉBRAUX

PARIS. — IMPRIMERIE DE E. MARTINET, RUE MIGNON, 2.

# DE LA

# DIFFÉRENCE FONCTIONNELLE

### DES

## DEUX HÉMISPHÈRES CÉRÉBRAUX

PAR

## M. BROCA

Membre de l'Académie de médecine

PARIS

G. MASSON, ÉDITEUR

LIBRAIRE DE L'ACADÉMIE DE MÉDECINE

PLACE DE L'ÉCOLE-DE-MÉDECINE

1877

DE LA

# DIFFÉRENCE FONCTIONNELLE

DES

## DEUX HÉMISPHÈRES CÉRÉBRAUX

---

*Rapport à l'Académie de médecine sur un mémoire de M. Armand de Fleury au nom d'une commission composée de MM. Baillarger, Gavarret et Broca, rapporteur (séance du 15 mai 1877).*

Messieurs, M. le docteur Armand de Fleury, professeur à l'École de médecine de Bordeaux, a fait parvenir à l'Académie, au mois de février 1874, un mémoire très-étendu intitulé : *Recherches anatomiques, physiologiques et cliniques sur l'inégalité dynamique des deux hémisphères cérébraux.*

Les premières études de l'auteur sur ce sujet datent déjà de douze ans. Elles remontent à une époque où le rôle spécial de l'hémisphère gauche du cerveau dans la fonction du langage était encore vivement contesté. L'idée d'attribuer des actions différentes à deux appareils aussi symétriques ou plutôt aussi peu dyssymétriques que le sont les deux hémisphères cérébraux, soulevait des résistances bien naturelles. Ce n'était pas sans hésiter que je l'avais émise. Après avoir, en moins de deux années, recueilli onze observations d'aphémie, suivies d'autopsie, et avoir constaté que dans tous ces cas la lésion cérébrale occupait constamment la troisième circonvolution

frontale *gauche*, j'avais cru pouvoir signaler à la Société de
biologie et à la Société d'anthropologie l'étrange prédilection
des lésions de l'aphémie pour l'hémisphère droit; — mais je
disais pourtant, quelques jours plus tard, dans une notice
adressée à l'Académie. « J'espère encore que d'autres plus
heureux que moi trouveront enfin un exemple d'aphémie
produite par une lésion de l'hémisphère *droit*. Jusqu'ici,
c'est toujours la troisième circonvolution frontale *gauche*
qui a été atteinte; s'il fallait admettre que les deux moitiés
symétriques de l'encéphale ont des attributions différentes, ce
serait une véritable subversion de nos connaissances en physiologie cérébrale. Je pense donc qu'avant d'accepter les conséquences qui pourraient en découler, il faudrait prouver, par
des observations suivies d'autopsie, que les lésions du tiers postérieur de la troisième circonvolution frontale *droite* ne por-
tent pas atteinte à la faculté du langage » (1).

Aujourd'hui les faits se sont considérablement multipliés.
On a vu, dans un certain nombre de cas, la perte de la parole
coïncider avec des lésions de l'hémisphère droit. Toutefois ces
cas, dont la fréquence relative n'excède pas le nombre pro-
portionnel des gauchers, fixé à 1 sur 12 ou 13 par les recherches statistiques de Malgaigne (2), ces cas, dis-je, sont restés
à l'état d'exception, et l'existence d'une relation particulière
entre la faculté du langage et l'hémisphère gauche, chez la
très-grande majorité des individus, est un fait maintenant bien
établi.

Mais, en 1864, lorsque M. Armand de Fleury écrivit son
*Mémoire sur la pathogénie du langage articulé* (3), la question
était beaucoup moins avancée, et la différence fonctionnelle
des deux hémisphères cérébraux était tellement contraire aux
idées reçues, qu'elle fut souvent qualifiée de paradoxe physiologique. Les esprits n'y étaient pas encore habitués; moi-même

(1) *Exposé des titres scientifiques de M. Broca*, avril 1863, in-4°, p. 67.

(2) Malgaigne, *Anatomie chirurgicale*, 2ᶜ édition, t. I, p. 3. Paris, 1859.

(3) Armand de Fleury, *Sur la pathogénie du langage articulé*, couronné
le 9 février 1865 par l'Académie des sciences, belles-lettres et arts de Bordeaux. Paris, 1865, brochure in-8° de 56 pages. Publié en partie dans la
*Gazette hebdomadaire*, 1865, p. 229 et 244.

comme on vient de le voir, je ne m'y étais pas rendu sans répugnance; et lorsqu'on invoquait contre elle « les lois immuables de la symétrie physiologique », on croyait l'avoir suffisamment réfutée. M. Armand de Fleury fut donc tout d'abord porté à la rejeter. Il ne pouvait se dissimuler cependant que, dans la grande majorité des cas publiés par d'autres auteurs ou observés par lui-même, la perte de la parole avait coïncidé avec des lésions de l'hémisphère gauche. Cherchant l'explication de ce fait embarrassant, il se demanda s'il ne tenait pas à un autre fait plus général, à une plus grande susceptibilité pathologique de l'hémisphère gauche; un relevé qu'il fit dans les deux hospices de Bordeaux lui permit, en effet, de constater que, sur seize hémiplégiques qui existaient alors dans ces deux établissements, 11 étaient paralysés à droite et 5 seulement à gauche; il put donc supposer que, d'une manière générale, l'hémisphère gauche était frappé beaucoup plus fréquemment que le droit, et il ajouta :

« Si, comme nous avons lieu de le croire, ce rapport de proportion est en général exact, il n'y a plus à s'étonner si l'on trouve plus de lésions à gauche qu'à droite dans les pertes de la parole. Il y aurait seulement à chercher la cause physiologique de ce phénomène remarquable. Peut-être l'avons-nous trouvée dans la différence de calibre des vaisseaux artériels qui, de droite et de gauche, partent de la crosse de l'aorte pour monter au cerveau. C'est une loi de physique, que toutes les fois qu'une colonne liquide passe subitement d'un calibre plus fort dans un calibre moindre, la vitesse de la colonne liquide est proportionnellement augmentée en raison de l'augmentation des pressions égales et contraires des parois sur la colonne liquide. Or, chacun sait que, tandis qu'à droite le tronc brachio-céphalique établit une transition entre le diamètre de l'aorte et celui de la carotide, à gauche le sang artériel passe brusquement du diamètre de l'aorte à celui de la carotide primitive. Si les lois physiques sont applicables à la physiologie, il y aurait donc, d'une manière générale, plus d'activité dans la circulation cérébrale à gauche qu'à droite; de là, en vertu de l'effet croisé, une plus riche hématose du côté gauche de l'encéphale, et par suite la prééminence des membres droits sur ceux du côté gauche pour la force et l'adresse ; de là aussi une plus grande tendance aux hémorrhagies à gauche qu'à droite de l'encéphale (1).

Les idées de l'auteur, en ce qui concerne la localisation du langage, se sont considérablement modifiées depuis; il s'est rallié résolûment à la doctrine de la différence fonctionnelle des deux hémisphères. J'ajoute que de nouveaux relevés faits en 1868 et en 1873 dans les hospices de Bordeaux lui ont fourni la preuve que la fréquence de l'hémiplégie est à peu près la même à droite et à gauche (2), et que le fait dont il avait cherché l'explication anatomique était par conséquent illusoire. J'ai cru devoir néanmoins reproduire le passage précédent, parce que l'auteur l'invoque à bon droit pour établir la priorité de son opinion sur l'inégale activité de la circulation dans les deux hémisphères cérébraux.

Peu de mois après la publication de son mémoire *Sur la pathogénie du langage articulé*, M. Armand de Fleury communiqua au Congrès médical de Bordeaux un travail intitulé : *Des tentatives de localisation de la parole d'un seul côté du cerveau.* Il y reproduisit les mêmes idées sur la symétrie fonctionnelle des hémisphères, sur la plus grande fréquence des hémorrhagies cérébrales dans l'hémisphère gauche, et sur la cause anatomo-physiologique de ce fait, qu'il continuait à croire réel ; mais il fit intervenir dans cette explication un élément de plus. « Le tronc brachio-céphalique, dit-il, établit à droite une ligne brisée entre l'aorte et la carotide primitive. Cette ligne brisée et l'angulaison qui en résulte sont absentes à gauche » (3).

Il est donc parfaitement démontré que M. Armand de Fleury, dans deux publications qui datent de 1865, a nettement exprimé l'opinion que la circulation est plus active dans l'hémisphère gauche du cerveau que dans l'hémisphère droit, par suite de la dyssymétrie des vaisseaux de la crosse aortique. C'est seu-

- (1) A. de Fleury, *Essai sur la pathogénie du langage articulé*, p. 53, et *Gazette hebdomadaire*, 1865, p. 249.

(2) Sur 57 cas, l'hémiplégie existait 29 fois à droite et 28 fois à gauche (voy. Armand Fleury, *Du dynamisme comparé des hémisphères cérébraux chez l'homme*. Paris, 1873, p. 142). A la page 170 du même volume, l'auteur produit un relevé extrait de l'ouvrage de M. Gintrac père, d'où il résulte que, sur 199 cas d'hémiplégie, il y a eu 102 hémiplégies à gauche et 97 à droite.

- (3) *Actes du Congrès médical de Bordeaux* (1865), p. 474.

lement en 1867 que M. William Ogle, de Saint George's Hospital, a exprimé la même idée dans une courte note additionnelle qui suit son important mémoire intitulé : *Aphasia and Agraphia.* « Il doit y avoir, dit-il, entre les deux hémisphères, une différence qui détermine le choix de l'un d'eux pendant l'éducation du langage. Cette différence peut-elle être indiquée? Je pense que oui. D'après la disposition bien connue des artères qui naissent de la crosse aortique, l'hémisphère gauche reçoit le sang par la carotide plus directement et plus librement que le droit » (1). M. Ogle est revenu plus amplement sur ce sujet dans un travail très-curieux, communiqué en 1871 à la Société médico-chirurgicale de Londres (2). Dans ce mémoire, qui renferme des études très-intéressantes sur les droitiers et les gauchers, l'auteur attribue la prédominance habituelle des membres droits, et par conséquent du cerveau gauche, à la disposition asymétrique des troncs vasculaires sus-aortiques ; mais il ne cite pas les publications antérieures de M. Armand de Fleury. Celui-ci a donc tenu à faire valoir ses droits de priorité, et c'est dans cette pensée qu'il a adressé à l'Académie le mémoire qui fait le sujet de ce Rapport. D'ailleurs il ne s'est pas borné à reproduire ses vues de 1865 ; il en a rectifié quelques-unes, il a précisé et développé les autres ; il y a joint de nombreuses recherches d'anatomie humaine et comparée, de physiologie et de pathologie, qui témoignent d'un esprit original et plein de ressources, mais parfois dominé par des théories prématurées.

En ce qui concerne la question de priorité, les passages que j'ai reproduits établissent suffisamment les droits de M. Armand de Fleury. J'ai suivi avec intérêt les nombreuses publications relatives au rôle prépondérant de l'hémisphère gauche dans la fonction du langage et dans l'action des membres, et j'ai lieu de croire qu'aucun autre avant notre confrère bordelais n'a cherché dans les conditions anatomiques de la circulation l'explication de cette prépondérance. Mais les deux causes qu'il invoque ne me paraissent pas également

(1) *St George's Hospital Reports*, vol. II, p. 121. Londres, 1867. In-8°.
(2) W. Ogle, *On Dextral Preeminence*, in *Medico-Chirurgical Transactions*, vol. LIV, p. 279. Londres, 1871. In-8°.

réelles ou, pour mieux dire, l'une d'elles seulement est réelle, tandis que l'autre est tout à fait imaginaire.

Ces deux causes, ainsi qu'on vient de le voir sont : en premier lieu, l'inégale largeur des orifices du tronc brachio-céphalique à droite et de l'artère carotide primitive à gauche; en second lieu, la bifurcation supplémentaire qui résulte, à droite, de la présence du tronc brachio-céphalique, et la déviation angulaire qu'y subit la colonne sanguine.

Sur le premier point, je ne saurais accepter les idées de l'auteur. Il s'efforce de démontrer, par des arguments empruntés à l'hydrodynamique, que, de deux artères nées d'un même tronc, la plus étroite est celle où le sang se meut avec le plus de vitesse, et il en conclut que le cours du sang doit être plus rapide dans l'artère carotide gauche que dans le tronc brachio-céphalique. Je pourrais répondre que les raisons qu'il invoque ne sont pas applicables au cas qu'il considère; qu'un rétrécissement placé sur le trajet d'un tube, quoique produisant à ce niveau l'accélération du liquide, constitue un obstacle qui diminue le débit au lieu de l'augmenter; qu'en outre, un embranchement latéral n'est nullement comparable à un rétrécissement, puisqu'il n'en résulte aucun obstacle à la progression du liquide; que, d'ailleurs, un système clos, comme le système vasculaire, diffère entièrement des systèmes hydrauliques ordinaires, où le liquide s'écoule à travers des orifices libres; qu'enfin l'élasticité des artères et leur contractilité, d'autant plus forte que les calibres sont plus petits, constituent des conditions toutes spéciales et impossibles a réaliser dans les expériences hydrodynamiques. L'ensemble de ces considérations permettrait déjà de rejeter sans hésitation la théorie en vertu de laquelle l'inégalité de calibre de la carotide gauche et du tronc brachio-céphalique rendrait la marche du sang plus rapide dans le vaisseau le plus étroit, c'est-à-dire dans la carotide gauche. Mais, alors même que l'auteur aurait raison sur ce point, il n'en résulterait aucune inégalité fonctionnelle entre les deux carotides primitives; car, en vertu du même principe, il devrait se produire, à l'origine de la carotide droite sur le tronc brachio-céphalique, une accélération qui compenserait le prétendu ralentissement de la circulation dans ce dernier tronc, et qui rétablirait ainsi l'égalité de la circulation dans ces deux carotides. Je dois dire que M. Armand de Fleury a prévu cette objection; il s'est efforcé d'y répondre en faisant remarquer que le calibre du tronc brachio-céphalique est supérieur à la somme des calibres de ses deux branches de bifurcation et que, par conséquent, le cours du sang doit être ralenti au delà de la bifurcation; le fait est vrai, mais ce n'est qu'un cas particulier d'une règle générale applicable à tous les troncs artériels et formulée en ces termes par Cruveilhier : « Le calibre d'un tronc artériel ne diminue pas en proportion du calibre des branches qu'il fournit. » C'est une des causes qui font décroître la rapidité du sang dans l'arbre artériel à mesure que l'on considère des rameaux plus éloignés du cœur, et cette cause agit sur la carotide gauche aussi bien que sur la droite.

La première cause invoquée par l'auteur n'est donc pas réelle; mais la seconde ne me paraît pas contestable. L'influence que M. Armand de Fleury et, après lui, M. Ogle ont attribuée au mode d'origine des deux carotides est bien certaine, et ce point de physiologie est assez important pour que vous vouliez bien me permettre d'y insister.

Tout le monde sait aujourd'hui que la rapidité du cours du sang est loin d'être uniforme dans toutes les artères; que des causes multiples, diversement combinées, contribuent à produire ce résultat, et que la plupart d'entre elles agissent en absorbant une partie de la force vive communiquée à la colonne sanguine par la contraction du ventricule gauche du cœur.

Parmi ces causes; il en est trois qui nous intéressent ici, ce sont : 1° le frottement des molécules sanguines sur les parois de tous les vaisseaux, même des vaisseaux rectilignes; 2° la décomposition de force qui se produit partout où la colonne sanguine subit un changement de direction; 3° le choc qui s'effectue au niveau des embranchements sur l'éperon de bifurcation et qui amène la division de la colonne.

La première influence est proportionnelle, toutes choses égales d'ailleurs, à la longueur du trajet parcouru. Or, si l'on considère la distance comprise, suivant l'axe des vaisseaux, entre le cœur et l'extrémité supérieure des deux carotides primitives, on trouve qu'à son entrée dans les carotides internes le sang a parcouru de 8 à 10 millimètres de plus à droite qu'à gauche.

En d'autres termes l'hémisphère gauche est un peu plus rapproché du cœur que l'hémisphère droit. La différence est bien faible, sans doute, et, en soi, elle n'aurait aucune importance, mais elle est due à une disposition anatomique qui en accroît notablement les effets en donnant prise à la seconde influence.

Il est clair, en effet, que les deux hémisphères cérébraux sont situés à la même hauteur au-dessus de la crosse de l'aorte; si donc la longueur des vaisseaux qui s'y rendent n'est pas la même des deux côtés, c'est parce que le trajet du sang est plus direct à gauche qu'à droite. Ce trajet étant symétrique à la tête et au cou, il suffit de le considérer à la base du cou et dans la poitrine.

Là, on voit que la carotide gauche naît de l'aorte, directement au-dessous de la région où elle doit se rendre, tandis que le tronc brachio-céphalique, quoique appelé à se distribuer dans la moitié droite du corps, ne naît pas à droite de la ligne médiane, comme on pouvait s'y attendre. C'est à gauche de cette ligne qu'il se détache de l'aorte, reculant ensuite vers la droite et traversant obliquement presque toute la largeur de la trachée, avant de fournir le tronc ascendant de la carotide droite. Il résulte de cette disposition que la colonne sanguine suit un trajet beaucoup plus indirect à droite, qu'elle y subit par conséquent davantage le ralentissement qui est la conséquence des changements de direction.

Toute force communiquée à un corps tend a lui donner un mouvement rectiligne. Sous ce rapport, les molécules d'un liquide en mouvement ne diffèrent pas des projectiles solides; la *vis à tergo* les pousse dans une direction déterminée qui est représentée, pour chaque partie de la colonne, par la direction de l'axe de la partie correspondante du cylindre vasculaire, et elles se meuvent dans cette direction tant que le vaisseau reste droit; mais s'il se recourbe tant soit peu, les molécules, obéissant à leur mouvement rectiligne, viennent rencontrer obliquement la paroi vasculaire du côté de la convexité de la courbure, et à ce niveau la force qui les anime se décompose en deux forces, l'une perpendiculaire à la paroi, l'autre parallèle à la nouvelle direction du vaisseau. La première se perd dans la paroi et le liquide n'est plus poussé que par la seconde. Quant à la quantité de force perdue, elle croît avec

l'angle de la déviation; elle est donc d'autant plus considé-
rable que la courbure est plus forte.

Cette influence des courbures artérielles est plus grande
qu'on ne le croit généralement. C'est à elle qu'il faut attribuer
l'inégal développement des deux moitiés de la tête, que l'on
observe constamment, sur la face comme sur le crâne, chez les
individus atteints de torticolis depuis leur enfance. Les gib-
bosités latérales de la région cervicale produisent le même
résultat. Les deux troncs carotidiens s'infléchissent l'un et
l'autre dans le sens de la déviation de la tête et du cou, mais
celui qui est situé du côté de la déviation décrit nécessairement
une courbe plus courte et par conséquent plus rapide; cela
suffit pour y rendre la circulation moins active et pour amoin-
drir, dans la moitié correspondante de la tête, le travail de
l'accroissement (1).

La dyssymétrie normale des deux appareils carotidiens est
bien loin sans doute d'être équivalente à celle que produisent
les déviations pathologiques de la tête et du cou, et elle ne peut
produire que des effets beaucoup moindres. J'ai néanmoins
cru devoir citer cet exemple pour montrer que l'obstacle op-
posé au cours du sang par les changements de direction n'est
pas seulement théorique, et qu'il est capable d'exercer une
influence assez sérieuse sur la structure et les fonctions des
organes.

De cette cause résulterait déjà un avantage physiologique en
faveur du système de la carotide gauche; mais ce système ne
diffère pas seulement de l'autre par une moindre longueur et
par une moindre courbure, il en diffère encore par une plus
grande simplicité. Le sang qui pénètre dans la carotide gauche
ne se heurte que sur une seule bifurcation, au niveau de l'origine de ce vaisseau, tandis que la colonne sanguine se brise

---

(1) On a signalé depuis longtemps l'inégalité des deux moitiés de la face
chez les sujets atteints de torticolis ancien. Je crois avoir constaté le premier
qu'une asymétrie du crâne coïncide toujours avec celle de la face. Cette défor-
mation crânienne rentre dans le type de la plagio-céphalie. J'ai en outre démontré, à l'aide de la couronne thermométrique, que la température frontale
et la température temporale du côté qui correspond au torticolis sont abaissées,
en général, d'un demi-degré environ.

sur deux bifurcations successives, avant de s'engager dans la carotide droite.

Partout où une artère se divise, il se produit un changement de direction sur l'une au moins des deux branches de bifurcation, et souvent sur toutes les deux. Les effets de ce changement de direction, en ce qui concerne les carotides, ont été exposés plus haut, et je n'ai plus à y revenir. Mais toute bifurcation fait naître une autre cause de ralentissement, en obligeant la colonne sanguine à se diviser en deux courants plus ou moins divergents. Au niveau de l'embranchement, à l'opposite du cœur, la paroi vasculaire constitue un angle ordinaire aigu, quelquefois droit ou même obtus, qui forme à l'intérieur du vaisseau une sorte d'éperon. C'est sur cet éperon que la colonne vient se briser en produisant un choc qui absorbe une certaine quantité de force ; en outre, les molécules du liquide, avant de se répartir entre les deux branches de bifurcation, hésitent en quelque sorte et font un remous comparable à celui que l'on observe lorsque le courant d'un fleuve se divise sur une pile de pont. La marche du sang se trouve donc troublée et ralentie par le fait même de la bifurcation, abstraction faite du degré de divergence des deux branches qui se séparent ; mais il est clair que la division de la colonne sanguine est d'autant plus laborieuse que la divergence est plus grande. Lorsque la bifurcation s'effectue sous un angle très-aigu, le choc est faible et la perturbation minime ; mais l'obstacle s'accroît de plus en plus lorsque l'angle s'ouvre davantage, lorsqu'il devient droit, enfin et surtout lorsqu'il devient obtus.

Ainsi, dans le parallèle des deux systèmes carotidiens, il y a à considérer à la fois le nombre des bifurcations et leur degré de divergence.

Sous le premier rapport, l'avantage appartient évidemment à la carotide gauche, puisque la colonne sanguine y pénètre après une seule bifurcation, tandis qu'à droite elle est obligée de franchir deux bifurcations successives.

Sous le second rapport, la carotide gauche est bien plus favorisée encore ; il suffit de jeter un coup d'œil sur la crosse de l'aorte pour voir que la carotide gauche s'en détache sous un angle très-aigu, tandis que le tronc brachio-céphalique s'en détache sous un angle presque droit. Mais il y a plus :

Pour apprécier le degré de divergence de la carotide gauche par rapport à la crosse de l'aorte, il ne suffit pas de mesurer l'angle qu'elle fait avec la partie correspondante de la convexité de cette crosse ; il faut considérer surtout la direction du mouvement de la colonne sanguine. Pour cela, plaçons une flèche dans l'axe du tronc aortique au niveau du point où la partie ascendante de ce tronc se recourbe pour devenir horizontale. Cette portion, dite horizontale, ne l'est pas absolument : elle continue à monter encore un peu jusqu'à la naissance de la carotide primitive gauche ; elle n'est vraiment horizontale que dans le court segment compris entre l'origine de cette artère et celle de la sous-clavière gauche, après quoi elle se recourbe vers le bas et devient descendante. La flèche que nous plaçons dans l'axe du vaisseau, au commencement de la portion dite horizontale, n'est donc pas dirigée seulement d'avant en arrière et de droite à gauche, elle est encore dirigée un peu de bas en haut, et, si on la prolonge en ligne droite, on voit qu'elle va aboutir directement à l'entrée de la carotide gauche, dont l'axe fait avec elle un angle très-aigu et souvent même presque nul. Que les molécules de la colonne sanguine doivent suivre pour la plupart la direction de cette flèche, c'est ce qui découle nécessairement de cette loi générale de physique que tout mouvement est en soi rectiligne et demeure tel tant qu'aucune cause ne vient le déranger ; et c'est ce que démontre d'ailleurs expérimentalement l'étude des embolies.

On sait, en effet, que les embolies cérébrales sont quatre ou cinq fois plus fréquentes à gauche qu'à droite. Les caillots détachés du cœur passent cependant sous la large embouchure du tronc brachio-céphalique avant d'arriver sur l'orifice bien plus petit de la carotide gauche ; et s'ils s'engagent de préférence dans le canal le plus étroit et le plus éloigné, c'est parce qu'ils y sont portés plus directement par le courant sanguin.

Le mode d'origine de la carotide gauche est donc bien plus favorable à la circulation que celui du tronc brachio-céphalique. Celui-ci se détache de l'aorte sous un angle à peu près droit. La colonne sanguine, avant d'y pénétrer, est dirigée de droite à gauche ; pour y pénétrer, il faut qu'elle se dirige de gauche à droite, après s'être heurtée et divisée sur l'éperon

obtus de la bifurcation, après avoir perdu ainsi une partie de
sa force vive. Or, cette colonne déjà ralentie, et plus ralentie
que celle de la carotide gauche, aura à subir encore, à l'extrémité supérieure du tronc brachio-céphalique, les effets d'une
seconde bifurcation ; elle y éprouvera un nouveau ralentissement, et dès lors il est inévitable que la circulation carotidienne, à calibre égal, soit moins active à droite qu'à gauche.

Je ne pense pas qu'il y ait un rapport nécessaire et absolu
entre le calibre d'une artère et la quantité de sang qui la tra-
verse dans un temps donné, car le débit d'un tuyau de con-
duite dépend à la fois de la largeur de son diamètre et de la
rapidité du liquide qui le parcourt. Je rappelle d'ailleurs que
la rapidité du cours du sang présente, dans les diverses artères,
des différences assez notables. Il serait donc possible que
l'inégale activité de la circulation dans les deux carotides laissât
persister l'égalité de leur calibre. Toutefois, si l'on songe que
tout organe tend à se mettre en harmonie avec sa fonction, on
est disposé à penser que l'inégalité fonctionnelle des deux carotides peut exercer quelque influence sur le calibre de ces
vaisseaux.

Ceci me ramène au mémoire de M. Armand de Fleury.
L'auteur, dans ses premières publications, s'était borné à invoquer à l'appui de sa thèse des arguments théoriques ; mais il
a compris que cela ne suffisait pas et qu'il était nécessaire de
recourir à une vérification expérimentale. Il a fait, à ce sujet,
deux ordres de recherches, les unes sur le vivant, les autres
sur le cadavre.

Les premières concernent l'exploration sphygmographique
des carotides. M. de Fleury a fait construire par M. Buchein
(de Bordeaux) un appareil spécial qui permet d'obtenir simul-
tanément, sur l'enregistreur de Marey, le tracé du pouls des
deux carotides. Les deux ampoules exploratrices sont placées
exactement sur le même niveau et fixées à l'aide d'un collier
bien symétrique ; on obtient ainsi les deux tracés dans des
conditions identiques, et ces deux tracés cependant diffèrent
constamment l'un de l'autre. On les compare d'autant plus
aisément que la longueur des pulsations est, sur tous deux, ri-
goureusement la même. On constate ainsi que le pouls de la
carotide droite donne une ligne ascensionnelle plus oblique,

un plateau plus convexe et plus large, et par conséquent une ligne de descente plus rapide. Cela prouve que la diastole artérielle est moins subite et l'impulsion cardiaque plus atténuée dans ce vaisseau que dans la carotide gauche.

Après avoir ainsi étudié sur le vivant la circulation carotidienne, M. Armand de Fleury s'est efforcé de comparer sur le cadavre le volume relatif des deux carotides primitives. Cette recherche était assez délicate, car la différence, s'il y en avait une, ne pouvait être que légère, et rien n'est difficile comme la détermination rigoureuse du calibre d'une artère. Sur les tubes rigides, on peut mesurer les diamètres avec une grande précision; mais la mensuration directe du diamètre d'une artère, même d'une artère injectée, expose à des erreurs résultant du degré variable de pression exercé par les branches du compas sur la paroi qui est compressible et sur la matière à injection qui n'est jamais tout à fait dure; en outre, l'épaisseur de la paroi s'ajoute alors au diamètre interne. Pour éviter ces erreurs, mon vénéré et regretté maître, Martin-Magron, avait recours au procédé suivant : après avoir injecté dans les vaisseaux une substance solidifiable bien homogène, il coupait dans les artères qu'il comparait des tronçons d'égale longueur et pesait sur une balance de précision le cylindre de matière à injection extrait de chaque tronçon. Il pouvait apprécier ainsi des différences de volume que ne révélait pas la mensuration directe des diamètres. Ce procédé ne fait pas connaître le calibre même des artères; mais il se prête à des comparaisons très-précises, et je pense qu'il permettrait mieux que tout autre de déterminer le volume relatif des deux tubes carotidiens. Je ne suis pas sûr qu'il ait été publié; en tous cas, il est peu connu, et M. Armand de Fleury ne l'a pas mentionné. Il avait songé d'abord à mesurer le diamètre extérieur des carotides injectées; mais il a craint que la distension forcée des vaisseaux donnât le change sur leur calibre réel et il a jugé préférable de mesurer la circonférence interne des vaisseaux non injectés. Son procédé consiste à exciser sur le cadavre un tronçon d'artère qu'il fend longitudinalement et qu'il déploie dans toute sa largeur sur une lame de carton. La largeur obtenue est égale à la circonférence interne du vaisseau. La circonférence une fois connue, on calcule aisément le rayon, et par

2

le rayon on obtient l'aire du cercle qui représente le calibre de l'artère.

Je ferai remarquer que, si le procédé de l'injection donne un calibre trop fort, le procédé du déploiement donne un calibre trop faible, car les parois élastiques des artères reviennent sur elles-mêmes dès qu'elles sont soustraites à l'action du cœur. Mais ce qu'il s'agit de déterminer, ce ne sont pas les calibres absolus, ce sont les calibres relatifs : les deux procédés sont donc valables. Toutefois, celui de M. Armand de Fleury a l'avantage de ne pas exiger l'injection préalable des vaisseaux et d'être plus commode dans la pratique.

Quoi qu'il en soit, les recherches faites par l'auteur sur 22 sujets lui ont donné les résultats suivants :

La circonférence interne de la carotide primitive *droite* a été en moyenne de 20 millimètres, ce qui donne pour le calibre du vaisseau, c'est-à-dire pour l'aire d'une section perpendiculaire à son axe, une surface moyenne de 31,8 millimètres carrés.

A *gauche*, la moyenne a été de 21 millimètres pour la cirférence déployée et de 35 millimètres carrés pour l'aire de la section.

Le calibre de la carotide primitive gauche est donc supérieur à celui de la droite dans la proportion de 350 à 318 ou de 110 à 100.

J'ai lieu de croire que ce rapport est un peu exagéré; je trouve, en effet, sur le tableau des observations qui ont fourni les moyennes deux cas où la crosse de l'aorte et les troncs qui en naissent étaient le siége d'une dilatation pathologique; en retirant de la liste ces deux cas anormaux, la moyenne des 20 autres cas n'est plus que de 33,1 millimètres carrés pour la carotide gauche, et de 30,8 millimètres carrés pour la droite, ce qui ne donne plus que le rapport de 107 à 100.

Deux fois le calibre s'est trouvé exactement le même sur les deux carotides, et il est digne de remarque que l'un de ces deux sujets était gaucher. Dans tous les autres cas l'avantage est resté à la carotide gauche.

Ces résultats sont dignes d'attention, mais ils ne sauraient être considérés comme définitifs, car les faits sur lesquels ils reposent ne sont pas encore assez nombreux. Ils gagneraient à être établis sur des bases plus étendues et je ne saurais trop engager l'auteur à multiplier ses recherches. Il importe de grouper les faits en catégories suivant les sexes, les professions et les âges. Il faudrait distinguer, parmi les professions, celles qui ne nécessitent qu'un faible travail musculaire de celles qui exigent une grande dépense de forces; car il y a lieu de se demander si l'activité plus grande de la circulation dans la carotide gauche est due exclusivement à la disposition des vaisseaux de la crosse de l'aorte, et si, après avoir été dans l'origine la cause de la prédominance fonctionnelle de l'hémisphère cérébral gauche, elle ne s'accroîtrait pas ensuite par l'effet de l'excès de travail de cet hémisphère chez les droitiers. Il s'agit de savoir, en d'autres termes, si la différence de calibre des deux carotides est plus grande ou plus petite chez les enfants que chez les adultes, si elle va en croissant ou en décroissant avec l'âge et avec le travail. L'auteur est disposé à croire qu'elle est plus prononcée chez les jeunes enfants qui n'ont pas encore appris à marcher. Cette vue est intéressante, mais elle ne repose malheureusement que sur une seule observation, ce qui est tout à fait insuffisant.

La question étudiée par M. Armand de Fleury exige donc encore de nombreuses recherches. Mais, tout en faisant des réserves expresses sur le degré de constance du fait qu'il a constaté, tout en considérant comme très-probable que la prédominance du calibre de la carotide gauche doit subir quelques exceptions, même chez les droitiers, je pense que l'on peut admettre comme démontré que cette prédominance est habituelle.

A l'appui de son opinion sur ce point, l'auteur invoque un autre fait anatomique qui lui paraît de même ordre, mais qui est en réalité d'un ordre tout différent. Tous les anatomistes ont remarqué que les deux veines jugulaires internes sont très-souvent inégales en calibre; quelques-uns ont ajouté que la prédominance appartient plus souvent à la jugulaire gauche qu'à la droite, mais d'autres ont dit précisément le contraire, ce qui permet de croire qu'il n'y a pas de règle bien fixe à cet égard. Mes propres observations déposeraient plutôt en faveur de la première opinion : je suis donc loin de blâmer M. Armand de Fleury de l'avoir admise. Mais, en supposant qu'elle soit exacte, pourrions-nous l'invoquer comme une nouvelle preuve de la prédominance circulatoire de l'hémisphère gauche? Je ferai remarquer que la plus grande partie du sang veineux des deux hémisphères va aboutir au pressoir d'Hérophile, où les deux masses sanguines se confondent en une seule avant de se répartir entre les deux sinus latéraux ; quant au sang qui revient de chaque côté par le sinus caverneux et par les deux sinus pétreux, il va, il est vrai, se rendre dans le sinus latéral correspondant, mais il représente à peine la sixième partie du sang veineux de l'hémisphère, et d'ailleurs les larges communications que fournissent en avant le sinus caverneux, en arrière le sinus transverse, rétablissent en tous cas l'équilibre de pression dans les deux systèmes. L'inégalité des veines jugulaires internes ne saurait donc avoir sa cause dans le crâne ; elle tiendrait plutôt à la disposition des deux troncs brachio-céphaliques qui reçoivent les veines jugulaires. Le tronc droit, court et très-peu oblique, transmet aisément au sang de la veine jugulaire l'aspiration thoracique, tandis qu'à gauche, où le tronc est deux fois plus long et deux fois plus oblique, l'action de l'aspiration thoracique est beaucoup plus faible. Il y a donc une raison pour que la veine jugulaire interne gauche se vide moins aisément que la droite ; mais cela suffit-il pour amener une dilatation dans le premier de ces vaisseaux ? La question est encore à l'étude (1).

M. Armand de Fleury n'est pas le seul auteur qui ait étudié comparativement le calibre des deux carotides. Cette question a préoccupé également M. Will. Ogle, auteur du mémoire déjà cité sur la *prééminence du côté droit*. M. Ogle a examiné les artères céphaliques chez 17 droitiers et chez 3 gauchers. « Sur 12 des droitiers, dit-il, soit la carotide primitive, soit la carotide interne, était plus grosse à gauche qu'à droite ; cette différence de volume était très-petite, mais une très-petite différence de calibre implique une différence d'effet très-consi·

(1) Le golfe de la jugulaire interne est reçu, comme on sait, dans une fossette du trou déchiré postérieur. M. A. Julien, élève de mon laboratoire d'anthropologie, a étudié comparativement la largeur de cette fossette à droite et à gauche sur une centaine de crânes, et il a trouvé que les cas ou elle est plus large dn côté droit sont en majorité.

dérable. Chez les 5 autres droitiers je n'ai pu découvrir aucune inégalité. On a si rarement l'occasion de disséquer le corps des individus qui ont été connus comme gauchers pendant leur vie, que je n'ai pu observer qu'un nombre très-insuffisant de faits; j'en possède trois, néanmoins. Dans aucun de ces trois cas la carotide gauche n'était plus grosse que la droite, comme cela a lieu chez la grande majorité des droitiers; deux fois il n'y avait aucune différence apparente, tandis que dans le troisième cas les deux carotides primitive et interne étaient presque deux fois plus volumineuses à droite qu'à gauche, et il y avait en outre une disproportion similaire, toujours en faveur du côté droit, entre les deux artères cérébrales moyennes. C'est le seul cas où j'aie trouvé une différence quelconque entre ces deux vaisseaux, soit sur les droitiers, soit sur les gauchers » (1).

L'énorme différence constatée par M. Ogle sur son troisième gaucher ne peut être attribuée qu'à une anomalie, si l'on songe surtout que chez les deux autres gauchers il n'y avait pas de différence « apparente ». Cela veut-il dire que l'égalité des vaisseaux de droite et de gauche fût parfaite ? Il est permis de laisser la question dans le doute, car l'auteur ne fait pas connaître le procédé de comparaison auquel il a eu recours; et s'il s'est borné, comme cela paraît probable, à apprécier à l'œil le volume des vaisseaux, sans le secours de la mensuration, des différences légères ont nécessairement dû lui échapper.

En résumé, M. Will. Ogle attribue à la disposition des vaisseaux aortiques et à l'avantage qui en résulte pour la carotide gauche la prééminence fonctionnelle de l'hémisphère gauche et la tendance très-générale de l'homme à être droitier. Cette opinion est aussi celle que M. Armand de Fleury a développée, et la concordance de ces résultats est d'autant plus significative que l'auteur français et l'auteur anglais ont fait leurs recherches à l'insu l'un de l'autre. Ici se présente une question de priorité assez compliquée. Dès 1864, et plusieurs années par conséquent avant M. Ogle, M. Armand de Fleury, ainsi que je l'ai dit, a soutenu que la circulation carotidienne est plus

(1) W. Ogle, On Dextral Preeminence, in Medico-chirurgical Transactions. 2e série, vol. XXXVI, p. 296. Londres, 1871. In-8°.

active à gauche qu'à droite; mais il n'invoquait alors que des
raisons théoriques, dont l'une était d'ailleurs erronée. C'est
seulement en 1868 qu'il a eu recours à la vérification anatomique, en étudiant comparativement le calibre des deux carotides, suivant le procédé que j'ai indiqué plus haut. Cette date
n'est pas contestable : la première observation de son tableau
de mensuration est celle du nommé Pradon, capitaine au long
cours, mort de pleurésie double, le 27 septembre 1868, à
l'hôpital Saint-André de Bordeaux.

Mais ces recherches n'ont été publiées qu'en 1872, dans un
mémoire *Sur le dynamisme comparé des hémisphères cérébraux*, lu
à la section de médecine de l'Association française pour l'avan-
cement des sciences (*session de Bordeaux*, p. 842); or, le mémoire
de M. Ogle *Sur la prééminence du côté droit* avait été lu un an au-
paravant, en 1871, à la Société médico-chirurgicale de Londres.
Ainsi, quoique l'antériorité de la recherche anatomique appar-
tienne à M. Armand de Fleury, c'est en réalité M. Ogle qui, le
premier, a publié le fait de l'inégalité du calibre des deux carotides. J'ajoute que ce dernier auteur n'a pas fait connaître son
procédé de comparaison et qu'il n'a pas donné les chiffres de
ses mensurations; ses recherches, par conséquent, sont moins
précises que celle de M. Armand de Fleury.

Le mémoire qui fait le sujet de ce Rapport renferme une seconde partie que je dois maintenant examiner. Obéissant à une
tendance bien naturelle, M. Armand de Fleury s'est passionné
pour son idée; il s'en est exagéré la portée et en a tiré des
conséquences forcées. Les faits qu'il a étudiés sur l'homme ne
sont qu'un cas particulier d'une loi générale de physiologie.
L'activité des fonctions d'un organe est subordonnée à l'activité de la circulation dans les artères qui s'y rendent. Mais cela
ne veut point dire que la nature de ces fonctions dépende de
la même cause, et M. Armand de Fleury s'est bercé d'une
vaine illusion lorsqu'il a cru que les instincts, les facultés, les
mœurs, l'activité, en un mot toute la vie cérébrale des animaux, ou du moins des mammifères, était déterminée par
le mode d'origine des vaisseaux carotidiens sur la crosse de
l'aorte.

Ce qui a fait naître cette idée dans son esprit, c'est la relation qui existe, chez l'homme, entre la disparité fonctionnelle

des deux hémisphères cérébraux, et la dyssymétrie des divisions de la crosse aortique.

Mais cette relation ne prouve qu'une chose : c'est que le mode d'origine des deux carotides exerce une certaine influence sur la répartition du travail entre les deux hémisphères; je dis « une certaine influence », et non pas une influence décisive; car, si l'on a pu constater que les individus à inversion viscérale sont ordinairement gauchers, il est bien certain que, dans l'immense majorité des cas, les gauchers sont exempts de cette rare anomalie, et que, en ce qui concerne l'origine des vaisseaux aortiques, ils ne diffèrent pas sensiblement des droitiers. M. Ogle fait remarquer, il est vrai, que les angles d'insertion de la carotide gauche et du tronc brachiocéphalique sur l'aorte présentent des différences individuelles assez notables, et il se demande si les gauchers n'auraient pas sous ce rapport une disposition moins défavorable que de coutume à la circulation de la carotide droite; mais cette vue ingénieuse est, jusqu'ici, purement théorique. Il est clair, d'ailleurs, que la carotide droite, à moins d'une anomalie d'origine tout exceptionnelle qui n'est pas ici en question, ne saurait reconquérir l'avantage sur la carotide gauche; c'est ce qu'il faudrait pourtant si la qualité de droitier ou de gaucher dépendait exclusivement de la disposition des vaisseaux carotidiens.

Si l'on devient ordinairement droitier, c'est parce que, au au moment où l'enfant commence à exercer ses hémisphères cérébraux, l'hémisphère gauche est plus apte que le droit à diriger un travail difficile ou pénible. Que la légère inégalité de la circulation dans les deux carotides concoure à donner cette avance à l'hémisphère gauche et à rendre la plupart des hommes droitiers, c'est ce qu'il me semble difficile de nier; mais elle n'est pas assez grande pour surmonter à elle seule toutes les autres conditions héréditaires ou acquises qui peuvent influer sur le développement et la nutrition des organes.

Quant à la nature du travail que l'enfant, à mesure qu'il se livre à des actes de plus en plus compliqués, est appelé à distribuer entre ses deux hémisphères, elle est inhérente au cerveau lui-même, c'est-à-dire à sa masse, à sa forme, à sa constitution anatomique; les artères, en lui apportant du sang, maintiennent sa structure et excitent son action, mais il ne leur appartient ni de lui donner telle ou telle faculté, ni de déterminer le degré de perfection ou de développement des facultés qui lui étaient dévolues par hérédité avant l'ébauche des premiers vaisseaux.

En vertu de cette loi d'hérédité, tout animal vertébré apporte en naissant un cerveau qui, à l'état normal, est apte à remplir ou à diriger les fonctions de relation indispensables à la vie. Ces facultés nécessaires et naturelles sont symétriquement réparties dans les deux moitiés de l'encéphale. Mais il s'y joint, chez un grand nombre d'animaux qui vivent en famille ou en société, d'autres facultés ou d'autres actes développés par l'éducation. Ce travail supplémentaire, imposé exclusivement à la partie de l'encéphale qui constitue le cerveau proprement dit, est plus ou moins compliqué suivant les espèces. Le plus souvent il est fort simple ; il est probable qu'alors il se partage également entre les deux hémisphères, et l'on sait en effet que, dans la plupart des espèces, le cerveau droit et le cerveau gauche sont tout à fait symétriques ; mais il est probable encore que, lorsque les facultés acquises par une espèce croissent en nombre et en importance, lorsque, par leur spécialisation, elles se distinguent de plus en plus des facultés générales communes à tous les cerveaux, il est probable, dis-je, que quelques-unes d'entre elles, celles qui sont le plus spéciales, peuvent se localiser de préférence dans l'un ou l'autre hémisphère et déterminer ainsi une disparité fonctionnelle qui se traduit, sur les cerveaux pourvus de circonvolutions par une diminution de la symétrie anatomique. Si l'on considère avec raison la dyssymétrie des circonvolutions comme un caractère de perfectionnement, ce n'est pas seulement parce qu'elle est très-prononcée chez l'homme, c'est aussi parce qu'on la retrouve à un degré moindre sans doute, mais très-manifeste encore, chez les grands singes anthropoïdes. J'ajoute que certaines espèces d'un rang moins élevé, mais perfectionnées par l'homme, ont le cerveau beaucoup plus dyssymétrique que les espèces congénères qui vivent à l'état sauvage. Ainsi, tandis que le cerveau du renard (*canis vulpes*) est presque symétrique, celui du chien, qui est construit sur le même type, l'est beaucoup moins. La différence entre les deux hémisphères est grande surtout chez les terre-neuve et les grands chiens de berger. Ce résultat serait inexplicable, si on ne l'attribuait à l'influence de l'homme, qui a développé par l'éducation, au gré de ses besoins ou de ses plaisirs, les facultés cérébrales du chien, son plus fidèle serviteur et son plus ancien allié.

La dyssymétrie dont il s'agit ici n'atteint d'ailleurs que les plis et les sillons secondaires; elle ne concerne ni le nombre, ni les connexions des circonvolutions primaires, et elle respecte toujours — abstraction faite des cas tératologiques — les caractères essentiels de la constitution cérébrale de chaque espèce.

L'homme est, de tous les animaux, celui dont le cerveau à l'état normal est le plus asymétrique. C'est aussi celui qui possède le plus de facultés acquises. Parmi ces facultés, que l'expérience et l'éducation ont développées chez ses ancêtres et dont l'hérédité lui transmet l'instrument, mais dont il n'acquiert l'exercice qu'à la suite d'une éducation individuelle longue et difficile, la faculté du langage articulé tient le premier rang. C'est elle qui nous distingue le plus nettement des animaux. Ce qui leur manque pour l'acquérir, ce n'est pas l'appareil de l'articulation, ce n'est pas non plus la circonvolution spéciale où elle se localise chez l'homme, car cette circonvolution existe chez la plupart des singes ; c'est le degré d'intelligence qui leur serait nécessaire pour analyser les éléments du discours, pour attacher un sens de convention à chacun des mots qui frappent leur oreille, et pour chercher par de longs tâtonnements à combiner le jeu de leurs muscles phonateurs, de manière à reproduire et à articuler les mêmes sons. A l'âge où l'enfant apprend à parler, au milieu des actes multiples auxquels il s'exerce et des connaissances variées qu'il acquiert chaque jour, la fonction du langage est certainement la plus compliquée de toutes celles que l'éducation développe en lui ; c'est celle qui exige de lui le plus de travail. On conçoit donc que, si l'un des deux hémisphères cérébraux possède à ce moment quelque supériorité matérielle, l'enfant affecte de préférence à sa fonction la plus difficile son instrument le plus parfait; et je pense, comme M. Armand de Fleury, que l'inégale facilité de la circulation dans les deux carotides primitives contribue ainsi d'une manière très-efficace à déterminer la localisation de la faculté du langage dans l'hémisphère gauche. Mais l'auteur, sans doute, ne va pas jusqu'à croire que la faculté du langage ou toute autre faculté soit liée en quoi que ce soit à telle ou telle disposition des vaisseaux aortiques. Dès lors, l'étude de la disparité fonctionnelle des hémisphères cérébraux de l'homme n'établit pas la plus petite probabilité en faveur de l'idée qu'il y ait un rapport quelconque entre les facultés d'un animal, ses instincts, ses mœurs, son genre de vie, — et le mode d'origine de ses carotides.

L'auteur s'est cependant pénétré de cette idée préconçue et s'est livré dès lors à de savantes recherches sur l'anatomie comparée de la crosse aortique et de ses quatre branches dans les onze ordres de mammifères. Cet appareil s'est présenté à lui sous douze formes différentes qu'il a ramenées aux cinq types suivants : *dextérité* (1), *férocité, célérité, solidité, ambi-dextérité*. Il a trouvé le type de la dextérité chez l'homme, celui de la férocité chez le tigre, de la célérité chez la gazelle, de la solidité chez l'éléphant, de l'ambidextérité chez la taupe, et il s'est efforcé d'expliquer comment ces divers résultats fonctionnels étaient produits par les rapports plus ou moins directs, plus ou moins favorables de la circulation centrale avec l'un ou l'autre hémisphère cérébral, avec l'un ou l'autre membre antérieur. L'énoncé de quelques faits suffira pour montrer combien ces interprétations sont hasardées. A part deux exceptions, sur lesquelles je vais revenir, tous les singes, même les plus doux, ont le même type aortique que les carnassiers, celui de la férocité. La plupart des rongeurs ont, comme l'homme et le phoque, le type de la dextérité ; mais parmi eux le lourd porc-épic a le type de la célérité, tandis que la marmotte obéissante et le cochon d'Inde inoffensif ont le type de la férocité. La similitude constatée entre les singes, qui sont herbivores, et les carnassiers, auxquels les instincts féroces ne peuvent être refusés, a quelque peu embarrassé l'auteur; il a répondu pourtant que les vieux magots deviennent méchants et taciturnes, tandis que le chimpanzé et l'orang, qui ont le type de dextérité, « sont essentiellement dextres (droitiers), sociables et généralement doux ». Il est bien vrai que le chimpanzé a le type aortique de l'homme ; il a cela de commun avec

(1) *Dextérité* n'exprime pas ici l'adresse, mais la qualité de droitier.

le gorille, qui ne passe pas pour très-doux. Mais, en ce qui concerne l'orang, l'auteur a emprunté à Siebold un renseignement erroné. Les vaisseaux aortiques de cet anthropoïde ne sont pas disposés comme ceux de l'homme ; ses deux carotides naissent du tronc innominé, comme celles du tigre, et, de l'aveu même de l'auteur, ce type de férocité n'est pas conforme aux mœurs de l'animal. Il est digne de remarque que l'orang est, de tous les animaux, celui dont le cerveau se rapproche le plus du cerveau de l'homme ; par ce caractère, l'orang est bien supérieur au gorille, et même un peu supérieur au chimpanzé ; son cerveau ressemble d'une manière étonnante à celui d'un jeune enfant, et cela seul suffirait pour prouver que le type aortique n'exerce aucune influence sur la constitution anatomique du cerveau.

Je considère donc comme tout à fait illusoire la doctrine générale d'anatomie et de physiologie comparées que l'auteur, par un ingénieux effort d'imagination, a cru pouvoir déduire des faits constatés *chez l'homme*; mais nous ne devons méconnaître pour cela ni l'intérêt ni la portée de ces faits ; car, si l'inégale activité de la circulation dans les deux carotides n'est pas la seule cause de la disparité fonctionnelle des deux hémisphères cérébraux de l'homme, elle y prend certainement une part importante, et c'est l'un des éléments dont on devra désormais tenir compte dans l'étude de cette grave question.

En conséquence, votre commission a l'honneur de vous proposer :

1° D'adresser une lettre de remercîment à M. Armand de Fleury ;

2° De déposer honorablement son travail dans les archives ;

3° D'inscrire son nom sur la liste des candidats au titre de membre correspondant dans la première section.

A la suite de ce rapport, MM. Bouillaud et Bouley ont successivement pris la parole. Une remarque incidente de M. Bouillaud a motivé la réponse suivante :

M. BROCA : Je ne puis songer, à cette heure avancée, à dis-

cuter les questions que viennent de soulever nos deux émi-
nents collègues MM. Bouillaud et Bouley. Ce n'est pas à la fin
d'une séance que l'on pourrait traiter un sujet comme celui de
la psychologie comparée de l'homme et des animaux. Ce sujet
est digne à coup sûr de fixer votre attention, mais si vous vous
décidez à l'inscrire sur votre ordre du jour, il faudra vous dé-
cider en même temps à lui consacrer un grand nombre de
séances.

Je ne demande donc la parole que pour répondre à un court
passage de l'allocution de M. Bouillaud. Notre illustre collègue et maître, parlant de la découverte du siége de la faculté
du langage articulé dans l'hémisphère gauche du cerveau, a
bien voulu me l'attribuer en grande partie. Il est juste cependant, a-t-il ajouté, de rappeler que cette opinion avait déjà été
émise par le docteur Dax père, de Sommières (Gard).

Je n'aime pas à traiter les questions de priorité qui me concernent personnellement. Voilà pourquoi je n'ai pas mentionné le nom de Dax dans mon rapport; mais puisque, à la
suite de mon rapport cette question se trouve soulevée, je suis
bien obligé de répondre.

Au mois d'avril 1865, lorsque eut lieu dans cette enceinte la
grande discussion sur les localisations cérébrales, je n'avais pas
encore l'honneur d'appartenir à l'Académie. Le bureau ne
m'aurait peut-être pas refusé un tour de lecture, mais je ne pus
même pas demander cette faveur, car l'état de ma santé m'avait
contraint à faire un voyage dans le Midi. Arrivé à Montpellier,
je lus quelques journaux de médecine, et ce fut ainsi que j'eus
connaissance de la réclamation de priorité élevée par M. Dax
fils en faveur de son père, mort depuis quelque temps déjà.
Le Mémoire où Dax père avait annoncé que l'hémisphère
gauche est le siége exclusif de la faculté du langage, avait été
communiqué, au dire de son fils, au Congrès méridional tenu
en 1836 à Montpellier. Me trouvant précisément dans cette ville,
j'eus la curiosité bien naturelle de chercher le texte de ce travail et de lire les discussions auxquelles l'annonce d'un pareil
fait avait dû donner lieu dans une assemblée scientifique. Mais
mes recherches, quoique faites avec le concours de M. le docteur Gordon, bibliothécaire de la Faculté de Montpellier, et
gendre de notre collègue le professeur Charles Martins, ne pro-

duisirent que des résultats négatifs. Après avoir vainement cherché dans tous les journaux de 1836, médicaux ou autres, une trace quelconque du mémoire de Dax, je priai M. Gordon de vouloir bien, après mon départ, continuer l'enquête. Il le fit avec le plus grand zèle, mais sans le moindre succès, et m'adressa à ce sujet une lettre que je communiquai le 15 juin 1865 à la Société d'anthropologie (*Bulletin de la Société d'anthropologie*, 1<sup>re</sup> série, t. VI, p. 380). « Le congrès méridional, disait-il a tenu sa troisième session à Montpellier du 1<sup>er</sup> au 18 juillet 1836. Il avait pour président le professeur Ribes et pour secrétaire le docteur Trinquier. Il n'a pas publié de travaux et il ne reste aucune trace de ses procès-verbaux. La *Revue de Montpellier* (1836, t. II, p. 51 et 53) a donné un aperçu des sujets de philosophie médicale qui y furent discutés ; la question du langage n'y est pas mentionnée. J'ai interrogé personnellement vingt médecins qui étaient alors à Montpellier. Il n'est pas à leur connaissance que le Mémoire en question ait été lu au Congrès ou publié quelque part. » Ainsi, l'existence du Mémoire de Dax père était aussi inconnue à Montpellier qu'à Paris, lorsque son fils le communiqua à l'Académie de médecine et le publia en outre dans le numéro du 28 avril 1865 de la *Gazette hebdomadaire*.

A l'issue de la séance de la Société d'anthropologie où j'avais communiqué la lettre de M. Gordon, un de mes collègues m'annonça que les mémoires manuscrits de MM. Dax père et fils étaient encore entre les mains de Trousseau. Quelques jours après, le chef de clinique de Trousseau — c'était je pense mon collègue le professeur Peter — voulut bien m'apporter chez moi ces deux manuscrits, et je restai convaincu qu'ils émanaient de deux personnes différentes. Le style, la facture, le mode d'exposition et de discussion, tout démontrait la différence des origines. Ce contraste était plus frappant sur les manuscrits qu'il ne l'est dans la publication faite par la *Gazette hebdomadaire*, ce journal n'ayant donné qu'un extrait du manuscrit de M. Dax fils. Je ne gardai donc aucun doute sur l'authenticité du manuscrit de Dax père, ni sur la date qui lui était assignée. Dès lors je n'avais aucune raison de douter que ce travail eût été préparé pour être communiqué au Congrès méridional de 1836, — mais il était certain que l'auteur ne

l'avait pas présenté à ce congrès, et qu'il ne lui avait donné, ni
là ni ailleurs, aucune publicité. Il est probable qu'au dernier
moment, il ne s'était pas senti le courage d'affronter la discussion et les railleries, à une époque où les contestations
soulevées par la doctrine de Gall étaient si vives, et où tout ce
qui sentait plus ou moins la phrénologie était mis à l'index.
Il ne disposait d'ailleurs que de moyens de défense bien in-
suffisants, car les rares faits qu'il avait observés dans sa pratique
n'avaient pas été éclairés par l'autopsie.

Quoi qu'il en soit, le Mémoire de Dax père n'avait pas vu le
jour, et personne, excepté sans doute son fils, n'en connaissait
l'existence, lorsque je commençai, en 1861, mes recherches sur
le siége de la faculté du langage articulé, recherches d'un ordre
bien différent, puisqu'elles reposaient sur l'anatomie normale
des circonvolutions et sur l'anatomie pathologique.

Ces recherches venaient à la suite d'une discussion de la
Société d'anthropologie sur les localisations cérébrales; en
voyant reparaître, sur des bases nouvelles il est vrai, la question des localisations que l'on croyait pour toujours enterrée,
et dont on ne parlait plus que pour en rire, beaucoup de personnes n'éprouvèrent que de la méfiance; beaucoup d'autres
éprouvèrent quelque chose de plus. Ceux mêmes qui n'avaient
aucune prévention contre le principe général des localisations
repoussaient vivement l'idée qu'une localisation quelconque
pût avoir lieu dans l'hémisphère gauche, à l'exclusion de l'hémisphère droit. Il y eut donc des discussions assez animées dans
lesquelles je ne fus pas toujours ménagé, et je suis loin de
m'en plaindre. Pourtant la question avança peu à peu, les faits
se multiplièrent, les adhésions arrivèrent; on commença à
accepter comme scientifique ce qui avait d'abord paru si
étrange. Ce fut alors que le Mémoire de Dax père, enseveli
dans un tiroir depuis 1836, fut exhumé par son fils et envoyé à
l'Académie.

Ces explications suffiront, je l'espère, pour justifier le silence
que j'ai gardé dans mon rapport sur les observertions de Dax
père. Appelé comme rapporteur à juger une question de priorité qui nous était soumise par M. Armand de Fleury, j'aurais
eu mauvaise grâce à vous entretenir de mes propres revendi-
cations. Mais vous comprendrez que je ne pouvais me dispen-

ser de répondre à l'observation, d'ailleurs si bienveillante, de
M. Bouillaud.

M. BOUILLAUD : Je suis heureux d'avoir entendu les explications de M. Broca, qui tranchent définitivement à mes yeux
la question de priorité. C'est donc à lui que revient tout l'honneur de l'importante découverte du siége de la faculté du langage.

Imprimé en France
FROC022336061219
22881FR00008B/106/P